D1032941

Le château de Villandry

Jean-Baptiste Leroux dédie son travail à
Monsieur et Madame Robert Carvallo.

Jean-Baptiste Leroux remercie Fuji Film France,
pour les moyens techniques mis à sa disposition.

Direction d'ouvrage
Catherine Laulhère-Vigneau

Suivi éditorial
Marie Laure Miranda

Conception graphique
Laurent Picard & Estève Gili

Photogravure
Sele Offset Torino / Italie

2 rue de la Roquette
75011 Paris

ISBN 2 84110 091 X

Le château de Villandry

Texte : Robert et Henri Carvallo Préface : Jean Favier Photographies : Jean-Baptiste Leroux

En hommage à mes parents, Marguerite et Robert Carvallo, qui m' ont donné le goût de la beauté et la force de continuer à faire vivre Villandry.

Henri Carvallo

Sommaire

Préface 6

L'histoire et l'architecture 9

Joachim Carvallo et les jardins de Villandry 13

L'organisation des jardins 16

Les techniques du jardin 19

Villandry aujourd'hui 20

Le jardin potager 22

Les jardins d'ornement 58

Le jardin d'eau 96

Les quatre saisons du jardinier 114

Préface

Le jardin, c'est l'alliance de l'homme et de la nature. De la plaine comme de la forêt, de la lande comme du guéret, l'homme s'accommode. Il s'y fait sa place. Il peut créer le champ ou le vignoble, mais ceux-ci ont leur vie propre. Même lorsque au départ c'est un homme qui a ouvert la clairière et voulu le village, c'est la communauté qui a donné vie à ce village. Le jardin, lui, est une création de l'homme et plus précisément de l'individu et de la famille. À l'origine du jardin, il y a toujours la passion de celui qui l'a créé, mais dans l'instant où nous le parcourons il n'y a pas moins la volonté, l'intelligence, le travail de ceux qui, au fil des saisons comme au fil des générations, l'ont élevé, l'ont entretenu, l'ont remodelé. Le jardin n'est pas là une fois pour toutes, mais s'il vit seul et de lui-même il cesse d'être jardin. Il est conjointement la vie de l'arbre et celle du jardinier.

Il n'est pas un carré de végétation plantée, que la fantaisie de l'homme a établie en un lieu quelconque. Il est la part végétale de la maison en quoi une civilisation trouve, non son ouverture sur le paysage, mais le cadre volontairement dessiné d'un besoin de beauté. Autant dire que le jardin fait corps avec la maison et qu'il ajoute à celle-ci ce que l'on ne peut confier au bâti et à son ornement intérieur. À la porte de la demeure, il est à la fois confort et agrément. Il y a un temps pour planter et un temps pour se promener. Il est aussi, dans cette découverte de tous les jours qu'est un jardin, un droit pour chacun, celui d'y ajouter sa propre sensibilité. À chaque âge de l'homme son bonheur. L'enfant qui court dans les allées n'est pas l'amateur d'âge mûr qui s'arrête sur la plante dont la couleur, l'odeur ou simplement le nom a retenu un moment son intérêt. Le regard du savant n'est pas celui du peintre, celui du solitaire n'est pas celui du couple de fiancés, celui du visiteur pressé n'est pas celui du promeneur quotidien. Et à chacun, aussi, le droit de parcourir le jardin avec son humeur de l'instant, du jour ou de la saison.

Le tournant des allées n'est pas une simple formule. Le jardin se découvre à chaque pas, et c'est un regard bien différent que l'on porte sur les perspectives qui s'ouvrent si diverses, les plans qui s'étagent à mesure que l'on bouge, les vues qui s'attardent sur une fleur ou qui, comme on le peut si heureusement à Villandry en variant les haltes au long de la promenade, embrassent l'immensité d'un jardin que l'on peut regarder, et c'est là une exception, en se tenant au niveau d'un rosier ou en prenant l'altitude que procurent les terrasses.

Le jardin est aussi l'accommodement de l'homme à la nature. Un jardin ne saurait être arbitraire. Il tire son parti d'ensemble des virtualités qu'offrent comme autant d'inspirations le relief et les eaux. Il tient compte du climat, de celui de l'hiver comme de celui de l'été. Il sait ce qu'est le sol, ce qu'est le terrain qui dispense les éléments vitaux. Il impose ainsi le choix des espèces car, avant le jardinier et avant les visiteurs, ce sont les plantes qui, les premières, doivent s'y plaire.

Certes, comme les champs et comme la forêt, le jardin ne manque pas de répondre à la nécessité, celle de l'approvisionnement de la table. Sa place est déjà marquée dans les villas de l'Antiquité, dans les monastères du Moyen Âge et dans les châteaux de la Renaissance comme elle l'est aux abords de la chaumière. Pour être d'évidente utilité, le potager n'est pas moins l'accompagnement agréable de la maison. Et parce qu'il voit se combiner l'effort de l'homme et les dons du ciel que sont le soleil et la pluie, le jardin est par excellence le reflet toujours changeant de la personnalité de qui l'a voulu et de qui le tient en vie. Si la maison abrite la vie, le jardin est vie.
Les Anciens, déjà, en faisaient un plaisir du regard. Sans évoquer longuement les jardins de Sémiramis à Babylone, pensons à ces trompe-l'œil qu'offrent les fresques murales de tant de grandes maisons romaines, à ces fenêtres de fiction ouvertes sur des parterres d'illusion qui ne sont autre chose que la figuration d'une réalité souhaitée. Même quand on a ses jardins aux portes de la maison, on en crée d'autres aux murs. La société médiévale avec ses tapisseries à mille fleurs ne fait pas autre chose que chanter son goût pour la maison dont le pourtour de fleurs et de feuillages échappe ainsi au rythme des saisons.
On ne saurait mieux faire en un temps où la demeure est forteresse. L'étroitesse des fenêtres ne permet guère au regard de s'égarer sur la nature proche, et une aristocratie pour qui la chasse est à la fois divertissement et préparation aux combats véritables ne s'attarde pas aux alentours de la résidence alors qu'il faut traquer en forêt le gibier. Le jardin d'agrément n'a guère sa place à côté d'un potager livré aux soins des domestiques. C'est la protection de larges enceintes qui permet aux palais situés au cœur des villes de s'accompagner de jardins, comme celui de Charlemagne à Aix-la-Chapelle ou celui de Philippe le Bel à la pointe de la Cité. On y donne des fêtes, on s'y réunit, on s'y délasse. Les terrasses sur la Seine et les charmilles ombragées de l'hôtel Saint-Paul sont bien pour Charles V le luxe que permet une certaine sécurité, mais les troubles de la capitale auront tôt fait de montrer qu'une demeure ouverte sur la ville peut mettre en péril son habitant.

Les choses changent quand, entre le XIVe et le XVIe siècles, la maison perd sa fonction de défense. Le paradoxe n'est qu'apparent : le jardin d'agrément est fils de l'artillerie. Dès lors que les murs sont de faible secours face aux couleuvrines, on ne se prive plus de les ouvrir. La maison s'approprie le paysage en faisant d'une forêt un parc. Passer de la maison au jardin n'est plus passer d'un monde à l'autre. La lumière qui pénètre enfin dans les salles longtemps obscures fait l'unité de ce lieu de vie qu'est la maison avec son jardin. Les miniaturistes qui proposent la vue d'un château pour égayer un calendrier ou pour vanter la magnificence d'un mécène ne manquent pas de prendre le recul grâce auquel ce château s'érige au milieu d'une nature soigneusement ordonnée, et l'on voit bien que, déjà, ordonner la nature n'est pas s'interdire la fantaisie. Bien avant que les Français aient découvert les jardins italiens, ils savent inventer le jeu des arbres et des fleurs, comme celui des allées et des parterres. L'Italie donne à son tour de nouvelles idées, les jeux du ciel et des pièces d'eau tiennent maintenant, de pair avec les œuvres sculptées, vases et statues, vasques et balustres, leur rôle dans la diversité des points de vue offerts au regard. Et l'on voit à Villandry le potager devenir œuvre d'art et aider l'homme à se souvenir qu'avant de garnir les plats, le légume est un chef-d'œuvre de la nature. Mêler les couleurs flamboyantes du potiron ou de la tomate aux teintes fraîches et nacrées des roses, allier l'ampleur du feuillage des vingt sortes de choux à la délicatesse fragile de celui des verveines, donner son espace à la forte odeur des lavandes et le sien à la délicate fragrance du groseillier, c'est rendre à la poésie ses droits dans le jeu de la bêche et du sécateur. Composer un jardin s'inscrit à nouveau parmi les plaisirs de l'homme.

Et c'est un plaisir qui se partage. Quel que soit le regard qu'il porte chaque matin sur la rose qui vient d'éclore, le jardinier ne peut être égoïste. Montrer son jardin n'est pas l'étalage de son savoir-faire, c'est le partage de son émerveillement. Ceux qui, comme à Villandry, ont voulu redonner vie à ces grands jardins qui définissent une civilisation ne l'ont pas fait seulement pour leur satisfaction. Ils proposent au monde cette joie qu'est la découverte toujours émerveillée d'un jardin sans cesse renouvelé. Que chaque promeneur s'en souvienne : nous permettre le lent cheminement parmi les parterres est d'abord un acte de foi et de courage. Ici, c'est le courage de quatre générations. Du docteur Carvallo qui fit d'un rêve une réalité réinventée à Henri Carvallo qui consacre sa vie à ce jardin désormais prestigieux, que soient remerciés ceux qui ont osé penser qu'en notre siècle il était encore digne de l'homme de chercher sa joie dans le clin d'œil du soleil sur une fleur.

Jean Favier
Membre de l'Institut

L'histoire et l'architecture

Situé à 15 km à l'ouest de Tours et à 9 km d'Azay-le-Rideau, Villandry est le dernier des grands châteaux qui furent bâtis au bord de la Loire à l'époque de la Renaissance (1536). Ce n'est pas la demeure d'un roi ou d'une courtisane, mais celle d'un ministre de François Ier, Jean Le Breton (dont la famille, en dépit du nom, avait, semble-t-il, une lointaine origine écossaise). Si son métier était de finances, son expérience architecturale n'en était pas moins exceptionnelle. Pour le compte de la Couronne, il avait surveillé et dirigé pendant de longues années la construction de Chambord (près duquel il fit édifier une réplique "en miniature" de Villandry : Villesavin). Auparavant, il avait été ambassadeur en Italie, où il avait pu à loisir étudier l'art des jardins. Villandry est moins marqué que d'autres châteaux par les péripéties graves ou légères de l'histoire de France. La raison en est sans doute que Jean Le Breton, plus honnête ou plus habile que les autres grands bâtisseurs de l'époque, ne fut pas disgracié, ses biens ne furent pas saisis et, dès lors, Villandry ne devint pas, comme Chenonceau ou Azay, propriété royale. Aussi, l'attention du visiteur se portera sur autre chose que le traditionnel récit historique : l'intérêt du lieu réside avant tout dans l'harmonie d'un ensemble de monuments et de jardins parfaitement intégrés à un site naturel.

Ici, Jean Le Breton a appliqué, pour lui-même, des idées neuves. Sur les fondations d'une vieille forteresse féodale qu'il fait raser et dont il ne reste que le donjon sud-ouest, témoin dramatique de l'entrevue du 4 juillet 1189 où Henri II Plantagenêt vint, devant Philippe Auguste, reconnaître sa défaite deux jours avant de mourir, il fait édifier, appuyés à ce donjon, trois corps de logis d'une grande simplicité apparente, formant un fer à cheval ouvert sur les perspectives de la vallée où coulent le Cher et la Loire.

Galeries à arcades, fenêtres à meneaux entourées de pilastres richement décorés, hautes lucarnes au galbe sculpté, toitures d'ardoise aux fortes pentes et aux amples volumes forment le cadre d'une tour d'honneur aux proportions d'une rare élégance.

L'architecte a mis en œuvre ici, avec discrétion, bien des secrets pour éliminer l'impression de monotonie qu'inflige souvent à l'œil un respect trop géométrique de la symétrie : le dessin des façades se reflète dans les douves, les angles formés entre eux par les corps de logis sont légèrement aigus ou obtus, les ailes n'ont pas tout à fait la même longueur, l'alignement des fenêtres centrales ne se situe pas dans l'exact milieu du corps de bâtiment, le jeu des ombres portées aux diverses heures du jour est subtilement calculé...

C'est deux heures avant le coucher du soleil que le château et les jardins sont les plus beaux.
A Villandry, pourtant tout proche et presque contemporain d'Azay-le-Rideau, les influences italianisantes et les souvenirs médiévaux : tourelles, clochetons, mâchicoulis décoratifs, ont entièrement disparu au profit d'un style plus simple, purement français qui, notamment dans la forme des toitures, préfigure Anet, Fontainebleau et ce que sera plus tard le style Henri IV. L'originalité de Villandry ne se situe pas seulement dans une conception architecturale d'avant-garde : elle est aussi dans l'utilisation qui a été faite du site pour y construire, en pleine harmonie avec la nature et la pierre, des jardins d'une remarquable beauté.

Ces jardins ont été conçus et réalisés entre 1907 et 1920 par un Espagnol, le docteur Joachim Carvallo. Il s'est inspiré dans son œuvre à la fois de la tradition historique et de vestiges subsistants de l'ordonnance ancienne détruite au XVIIIe siècle.

La façade ouest, nouvellement restaurée du château. Les avant-cours et la cour d'honneur.

Joachim Carvallo et les jardins de Villandry

A priori, rien ne prédisposait Joachim Carvallo à devenir le créateur des jardins de Villandry et le fondateur de la Demeure Historique. Il était né (en 1869) à Don Benito, gros bourg rural de l'Estramadure, sans doute la province la plus austère de l'Espagne. Son père y avait créé une petite affaire de minoterie et de distillation d'anis. Ledit père disparut prématurément, laissant à sa femme le soin de veiller, avec de maigres ressources, à l'éducation de trois enfants encore tout jeunes. La vie ne devait pas être drôle tous les jours à Don Benito.

La sœur aînée se fit religieuse, le frère cadet devint journaliste et Joachim Carvallo alla à Madrid étudier la médecine. Il y réussit brillamment puisqu'il fut admis à terminer ses études à la faculté de Médecine de Paris, alors illustre sur le plan mondial. Il y devint le disciple favori du professeur Charles Richet (dont les travaux furent consacrés par le prix Nobel de médecine en 1913). Il y rencontra aussi sa future femme, Ann Coleman, elle aussi scientifique, elle aussi originale, elle aussi attirée par le renom international de l'Université française. Ils s'aimèrent et eurent, dans leur projet de mariage, l'appui décisif du professeur Richet qui accepta de se rendre aux États-Unis pour convaincre la famille de la fiancée (protestante, fortunée, traditionnelle et plus que réticente). Vers 1906, l'idée leur vint d'acquérir une grande maison à la campagne, avec l'espace suffisant pour y installer leur laboratoire et y poursuivre dans le calme les recherches qu'ils menaient ensemble. Cette maison s'appelait Villandry et fut le tournant de leur vie.

Par les transformations que le XVIIIe siècle et le XIXe siècle lui avaient fait subir, Villandry ressemblait à l'époque à une grande caserne entourée d'un banal parc à l'anglaise. On ne saura jamais quel déclic révéla à Joachim Carvallo, un an après l'acquisition, la magie de ce lieu. Il déploya, avec passion, toute son énergie, pour en retrouver la beauté.

Joachim Carvallo, le créateur des jardins de Villandry, et sa femme américaine Ann Coleman.

Il abandonna, alors, complètement sa carrière et ses ambitions scientifiques.

En ce qui concerne le château, l'œuvre de Joachim Carvallo est clairement une restauration, à l'avis général brillamment réussie. En ce qui concerne les jardins, c'est bien autre chose qu'une restauration. Il ne disposait pas d'archives comportant un plan de ce qu'avait pu être l'état des jardins avant qu'on n'en fît un parc à l'anglaise. Le seul élément qu'il retrouva était des vestiges de type archéologique et notamment des murs enterrés montrant clairement qu'à la place des pentes douces avait existé un dispositif en terrasses, établi sur trois niveaux, dont le plan apparaissait de façon relativement claire. À partir de là, Joachim Carvallo entreprit de lire tout ce qui avait été publié sur les jardins anciens. Ces recherches le conduisirent notamment à la bibliothèque monastique de Solesmes. Sa nouvelle passion devait l'entraîner fort loin puisque ce furent ses nombreux contacts avec les bénédictins de cette abbaye qui, concurremment à sa réflexion sur les sources de notre civilisation, amenèrent, vers 1910, cet agnostique radical à se convertir à un catholicisme mystique et intransigeant. Au demeurant, comme il l'a exposé dans un texte de 1924, la dimension religieuse est très forte dans son œuvre : « L'art procède d'une longue contemplation de la nature par laquelle l'esprit humain pénètre l'essence intime des choses, en ressent la poésie et s'élève jusqu'à Dieu dans un effort suprême ». En définitive, si les jardins de Villandry sont inspirés par la tradition, ils ne sont pas une simple reconstitution. Ils sont l'œuvre originale d'un homme du XXe siècle. Le temps a suffisamment passé depuis pour confirmer la qualité exceptionnelle de ce travail.

Le château et les jardins tels qu'ils étaient en 1906, avant que Joachim Carvallo n'entreprenne de restituer au château son architecture Renaissance et de créer des jardins en harmonie avec ce dernier.

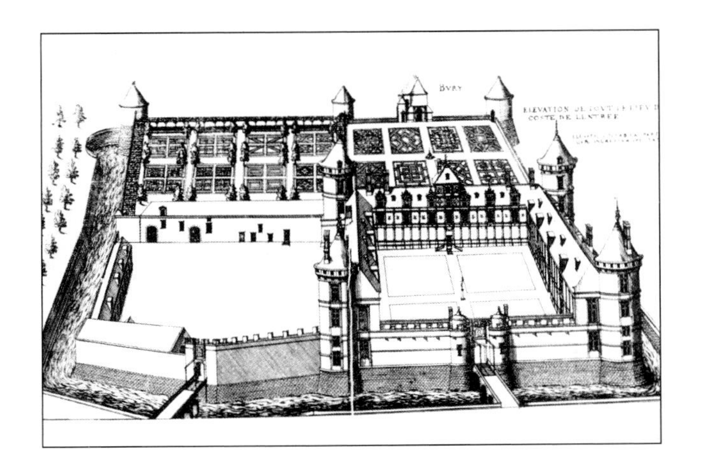

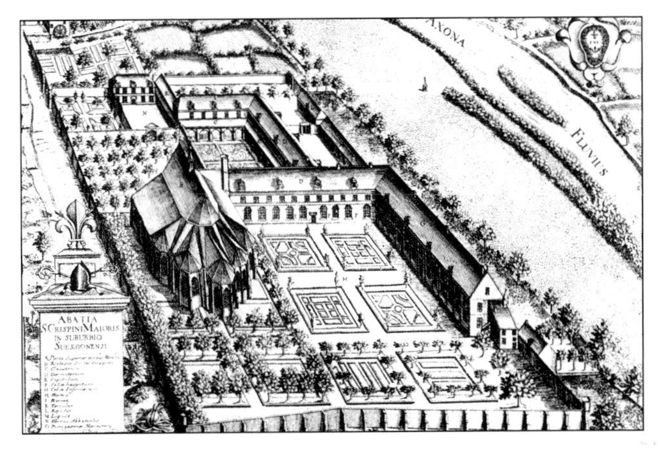

Les deux sources d'inspiration de Joachim Carvallo : le « Monasticon Gallicanum » *et* « Les plus Excellents Bâtiments de France » *d'Androuet du Cerceau. Ce dessin représente le château de Bury dont les principes d'organisation des jardins et du château sont similaires à ceux mis en œuvre à Villandry.*

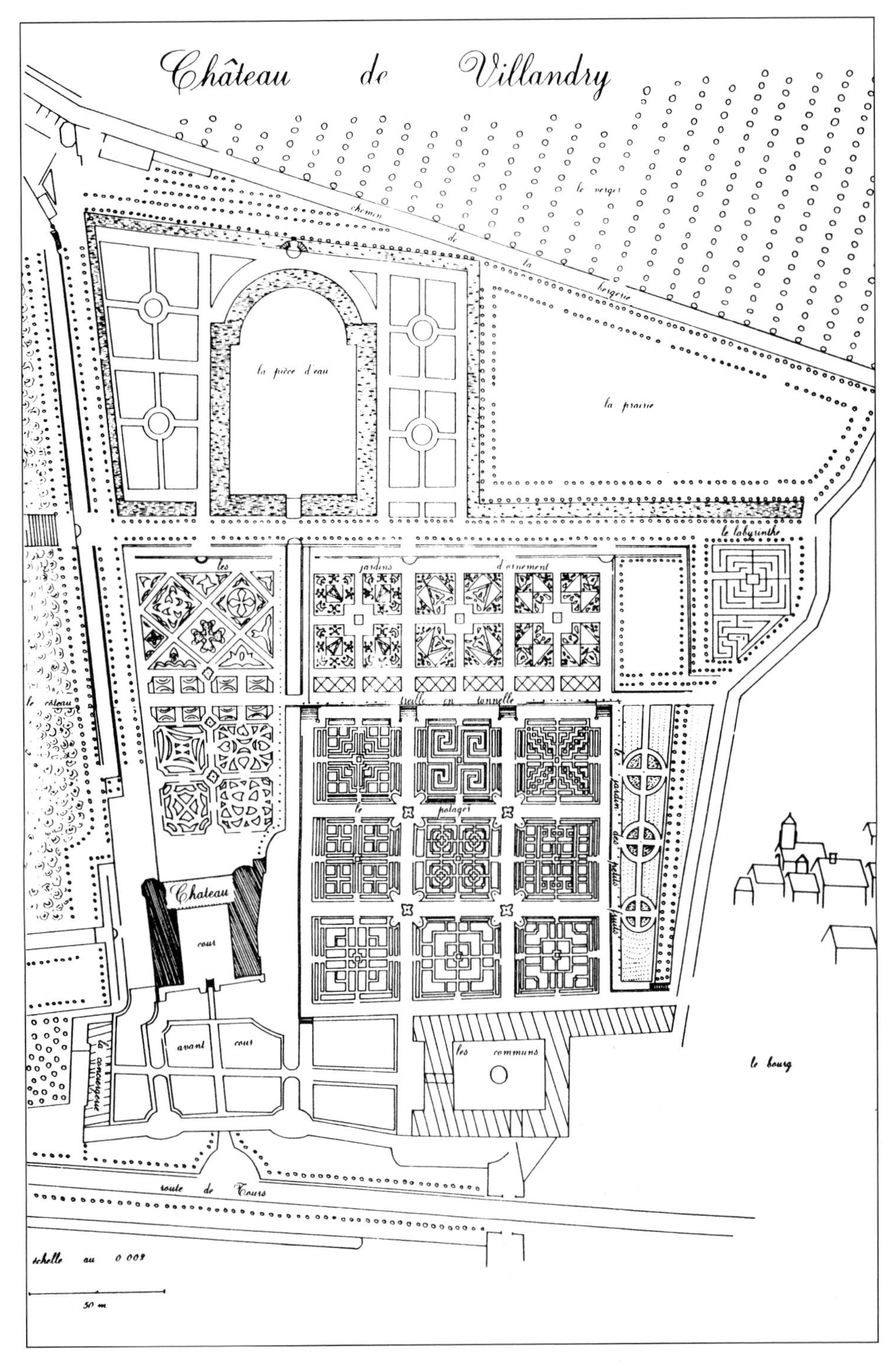

Le plan actuel des jardins de Villandry.

L'organisation des jardins

Une petite vallée, parcourue d'un ruisseau, descend du plateau au sud du château. Sa pente va permettre d'étager en terrasses trois niveaux de jardins.
Le plus élevé, où se rassemblent dans une grande pièce d'eau en forme de miroir les eaux nécessaires à l'alimentation des douves, des fontaines et du réseau d'irrigation.
Au niveau intermédiaire, et de plain-pied avec les salles de réception du château, un jardin décoratif où, entourées de hauts buis, seront les fleurs.
Enfin, sous les fenêtres de l'aile ouest, au niveau des communs, se trouve le troisième et sans doute le plus original de ces trois jardins : le potager d'ornement.
Chacun de ces trois jardins est entouré et surplombé d'une allée couverte (cloître de tilleuls taillés en voûte, treilles de vigne). Ainsi le promeneur pourra-t-il examiner chaque détail tout en restant parfaitement protégé des rayons du soleil. C'est l'application du principe énoncé par Olivier de Serres : « Il est souhaité que les jardins soient regardés de haut en bas, soit des bâtiments voisins soit de terrasses rehaussées alentour du parterre. »
L'ensemble des trois jardins est lui-même enserré comme dans un écrin :

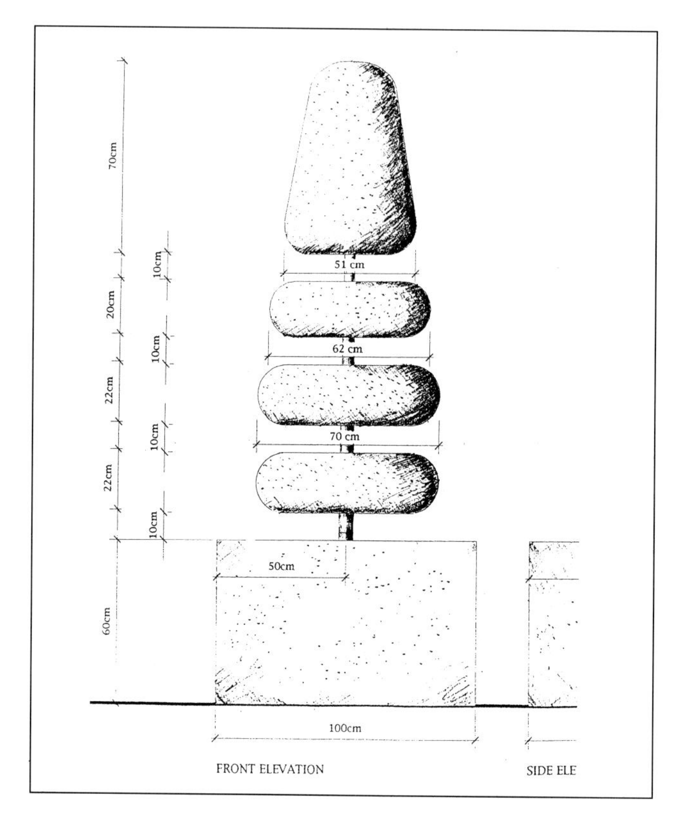

- à l'est, par le château et les hautes terrasses. Celles-ci sont découpées au flanc d'un coteau dont les verdoyantes frondaisons se dressent à près de cinquante mètres au-dessus des jardins.
- à l'ouest, par le village et sa vieille église qui, sur l'autre flanc de la petite vallée, dominent le potager et font face au château. L'un et l'autre ne sont ainsi nullement tenus à l'écart de la demeure seigneuriale conservant en ce domaine la vieille tradition médiévale généralement abandonnée à partir du XVIIe siècle.
- au nord, par les bâtiments des communs : écuries, étables dont les hauts murs protègent le potager des vents les plus froids.
- au sud enfin, le jardin jouxte la campagne. Un grand verger qui monte en pente douce vers les champs du plateau fait avec celui-ci une transition naturelle.

Ainsi tout est conçu à Villandry pour qu'en un faible espace et sous la vue constante des habitants du château soit rassemblé, pour le plus grand plaisir de l'œil, l'ensemble de ce qui est nécessaire à la vie matérielle comme à la vie spirituelle.

La structure végétale des jardins (buis, tilleuls, ifs) fait l'objet d'une restauration. Soixante ifs au format spécifique de Villandry, ont été remplacés en 1997 et 1998.

Page de droite : les jardins sont étagés sur trois terrasses ; le potager, le jardin d'ornement, le jardin d'eau.

Au même niveau que le jardin d'ornement est situé le jardin de plantes médicinales complétant l'aspect utilitaire du potager.

armoise
artemisia

Les techniques du jardin

La superficie totale des jardins est de cinq hectares. Une équipe de neuf jardiniers travaillant à temps plein assure son entretien. La mission de cette équipe est au cœur du succès touristique de Villandry. Le ratio de neuf jardiniers pour cinq hectares est néanmoins relativement faible étant donné la densité des jardins. Une forte motivation et un amour du métier sont donc nécessaires à l'équipe pour obtenir le résultat désiré. Cette motivation résulte de la possibilité de travailler dans un lieu exceptionnel mais est renforcée par la diversité du travail, la possibilité d'utiliser du matériel à la pointe des techniques horticoles et par des niveaux de salaire élevés. Une organisation rigoureuse du travail ainsi qu'une planification stricte sont nécessaires à la bonne marche du jardin. J'illustrerai ce dernier point par l'exemple des plans de cultures qui doivent être élaborés chaque année pour le potager. C'est un travail complexe qui nécessite de très nombreuses heures et auquel participe l'ensemble des jardiniers. Deux plans doivent être établis chaque année :

● Le plan de printemps comporte l'utilisation des légumes suivants : petits pois, fèves, radis, lentilles, choux de printemps, salades (romaine, feuille de chêne rouge et verte, reine de mai blonde, grenobloise, bowl verte, bowl rouge).
Des vivaces sont également utilisées : fraisiers, oseille, ciboulette restent en terre d'une année à l'autre (quatre à cinq ans au maximum).
Pour égayer le potager, plusieurs espèces de fleurs printanières sont plantées dans les bordures qui entourent chacun des neuf carrés : pensées rouges et jaunes alternées, pâquerettes à grosses fleurs blanches, pensées bleues, myosotis, giroflées ; elles ont été mises en place à l'automne précédent (plantes bisannuelles).

La plantation des bisannuelles en automne : ici les myosotis.

● Le plan d'été détermine la disposition des fleurs et légumes du mois de juin à l'automne. Les principaux légumes mis en place sont les suivants : les choux Autoro, les choux d'ornement verts à cœur rouge "Pigeon", les choux d'ornement verts à cœur blanc "Peacock", les choux "hâtifs de Vienne", les choux de Toscane, les potirons, les poirées pourpres, les poirées vertes,les céleris dorés, les céleris raves, les carottes, les poireaux bleus de Solaise, les aubergines, les poivrons, les tomates, la ciboulette, le persil, le basilic, les betteraves rondes ou longues, les coloquintes, les endives, les cardons.
Les bordures des différents carrés sont fleuries en cette saison avec des annuelles telles que : pétunia, verveine, sauge bleue, rose d'Inde, bégonia, tabac. Au total, il faut pour garnir le potager environ vingt mille plants de fleurs et pour les légumes soixante mille au printemps et quarante mille en été, soit chaque année, compte tenu des deux plantations, cent vingt mille plants.
La réalisation des deux plans de culture doit tenir compte de considérations d'ordre technique et esthétique :

● Les facteurs techniques – l'assolement.
On ne peut planter, par exemple, des carottes là où poussaient des céleris branches l'année précédente ; ces deux légumes, appartenant, en effet, tous deux à la famille des ombellifères, tirent donc de la terre les mêmes substances et sont vulnérables aux mêmes maladies transmises par le sol. De même, choux et radis, de la famille des crucifères, ne peuvent se succéder. La rotation des cultures est donc indispensable afin d'éviter l'épuisement des sols et de lutter contre les maladies des plantes. Pour bien mesurer la complexité du problème, il faut savoir que les principaux légumes se répartissent en huit familles botaniques et qu'il convient idéalement d'attendre trois ans avant le retour d'un légume d'une même famille sur une même parcelle. Or, à Villandry, deux cultures sont effectuées chaque année sur chaque parcelle.

● Les considérations esthétiques – l'ordonnance des coloris et des formes.
La répartition des couleurs et des formes est le deuxième élément déterminant dans la composition des plans. Le problème est délicat car les couleurs des légumes sont entre elles relativement peu contrastées. Par exemple, il faudra éviter de placer piments et tomates côte à côte, leurs feuilles ayant sensiblement la même teinte. On cherchera au contraire à rapprocher, pour accentuer les contrastes, par exemple le vert jade des carottes et le bleu des poireaux de Solaise, ou le rouge des feuilles de betterave et le vert doré des céleris. On fera alterner des légumes à port élevé (par exemple : aubergines, artichauts) avec des légumes rampants (oseille, salade).
Vous trouverez dans le dernier chapitre un reportage photographique sur le travail des jardiniers.

Villandry aujourd'hui

Demeure seigneuriale, construite en pierre chatoyante mais fragile, il faut une fortune pour la maintenir. Joachim Carvallo y avait allègrement englouti celle de sa femme. Aujourd'hui, c'est avec les recettes de la visite que notre famille doit faire face aux charges d'entretien de Villandry : un effectif d'une vingtaine de personnes et un budget annuel d'entretien et de gros travaux d'environ huit millions de francs. Villandry a reçu, en 1997, trois cent cinquante mille visiteurs. C'est sept fois plus qu'en 1971 où les cinquante mille visiteurs ne suffisaient pas à assurer un entretien correct. Dans le même temps, l'équipe de jardiniers est passée de quatre membres en 1971 à neuf aujourd'hui. Villandry est entré maintenant dans un cercle vertueux de gestion qui repose sur la qualité d'entretien des jardins et l'importance du volume annuel des gros travaux de restauration des bâtiments. Cet état de fait permet de satisfaire nos visiteurs, qui deviennent alors nos plus fidèles prescripteurs auprès de leurs amis. De cette façon, le nombre de visiteurs progresse régulièrement, permettant ainsi d'accroître chaque année le volume de gros travaux réalisé. À Villandry, les budgets de marketing sont très faibles par rapport à ce qu'ils sont habituellement dans le domaine du tourisme, la promotion repose principalement sur le phénomène de bouche à oreille.

Pour remplir sa mission qui est de donner de la beauté à ses visiteurs, Villandry doit être géré de façon rigoureuse. Dans un site comme celui-là, où la pierre est fragile et où la géométrie des jardins ne souffre aucun défaut, la beauté est le résultat du travail acharné de l'homme et d'une application constante. La gestion de Villandry s'apparente donc à celle d'une petite entreprise, à la différence près que la finalité ultime n'est pas de générer des bénéfices mais d'investir constamment dans la mise en valeur du site.

Les quatre carrés du jardin d'Amour, dont les formes sont issues de l'art hispano-mauresque du jardin.

Le jardin potager

Le jardin potager

•

Le jardin potager de Villandry s'étend sur un hectare, il est composé de neuf carrés aux dimensions identiques mais à l'intérieur de chacun desquels les massifs de buis forment des figures différentes. Dans ces massifs est disposée une quarantaine d'espèces de légumes et de fleurs dont les couleurs alternent pour donner au regard l'illusion d'un damier multicolore. Chaque année, nous réalisons deux plantations, l'une au printemps, de mars à juin, l'autre en été, de juillet à octobre.

Le potager a été reconstitué au début du siècle par Joachim Carvallo, qui s'est inspiré des potagers classiques de la Renaissance, dont le souvenir nous a été transmis par Androuet du Cerceau dans son livre. "*Les plus Excellents Bâtiments de France*". Ce potager décoratif de la Renaissance est issu de la tradition monacale du Moyen Âge, complétée, au XVIe siècle, par des éléments décoratifs d'inspiration italienne tels que les tonnelles, les fontaines et les massifs de fleurs.

Le potager vu du ciel ; les nombreuses croix qui le composent nous en rappellent l'origine monacale.

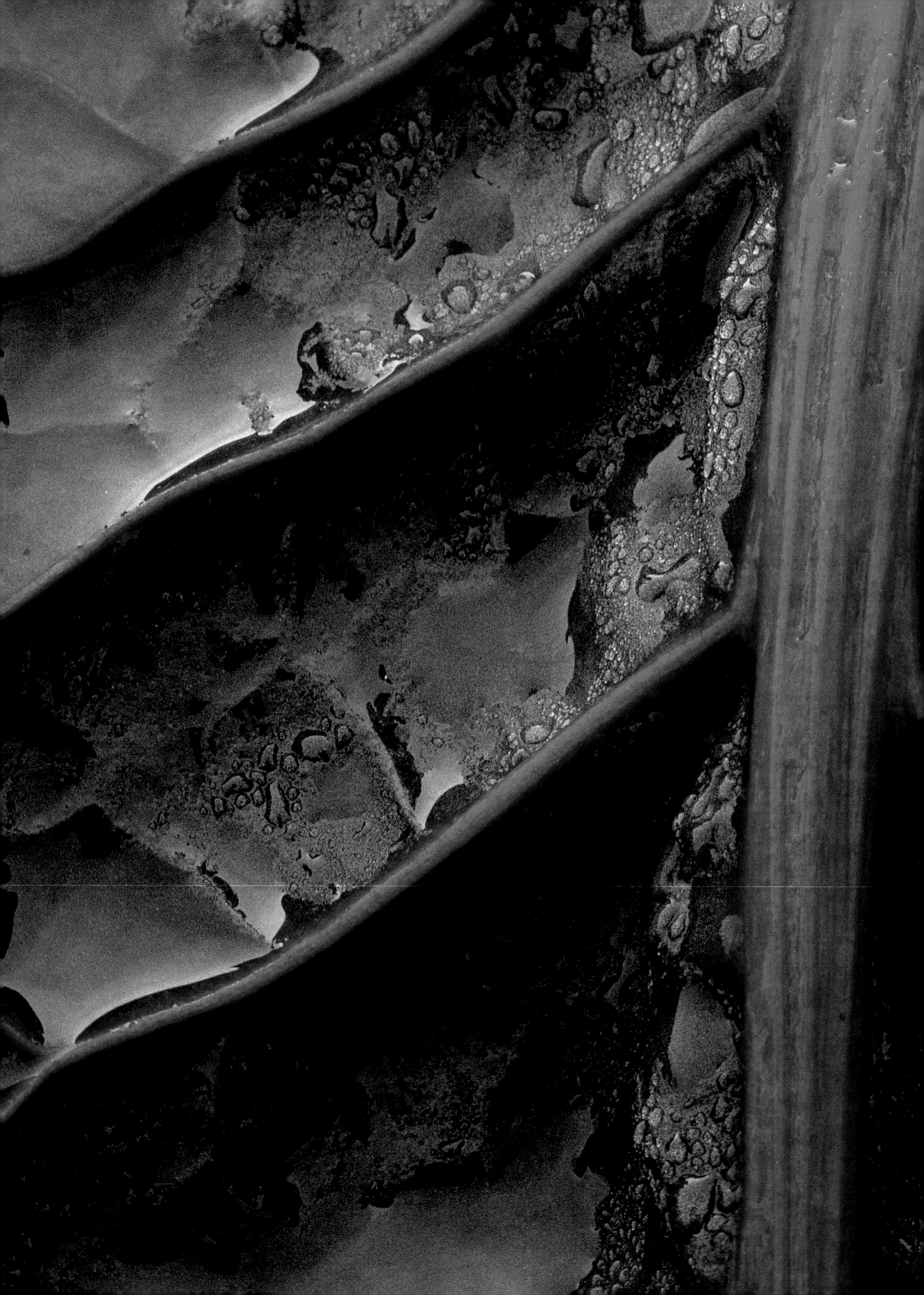

Page de gauche :
la blette rouge est
l'un des beaux
légumes utilisés
dans le potager
en été.

Ci-contre :
une promenade dans
les bois permet
de surplomber de
50 mètres le potager,
offrant des vues
presque aériennes
sur celui-ci.

Les légumes du potager sont agrémentés de fleurs et de fruits : 36 rosiers-tiges sont disposés de façon géométrique dans chacun des carrés du potager ainsi que 16 poiriers taillés en quenouille.

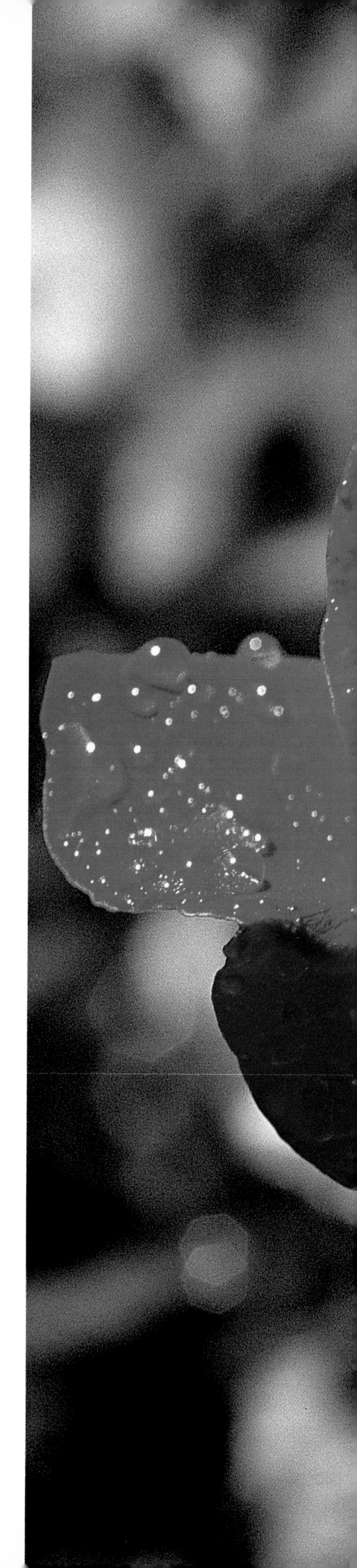

La texture, la forme et la couleur de chaque légume sont des paramètres très importants pour la réussite du potager, qui forme un damier multicolore.

À gauche : détail de poireau.

Ci-contre : détail de poivron.

Page suivante : les blettes rouges et le céleri doré.

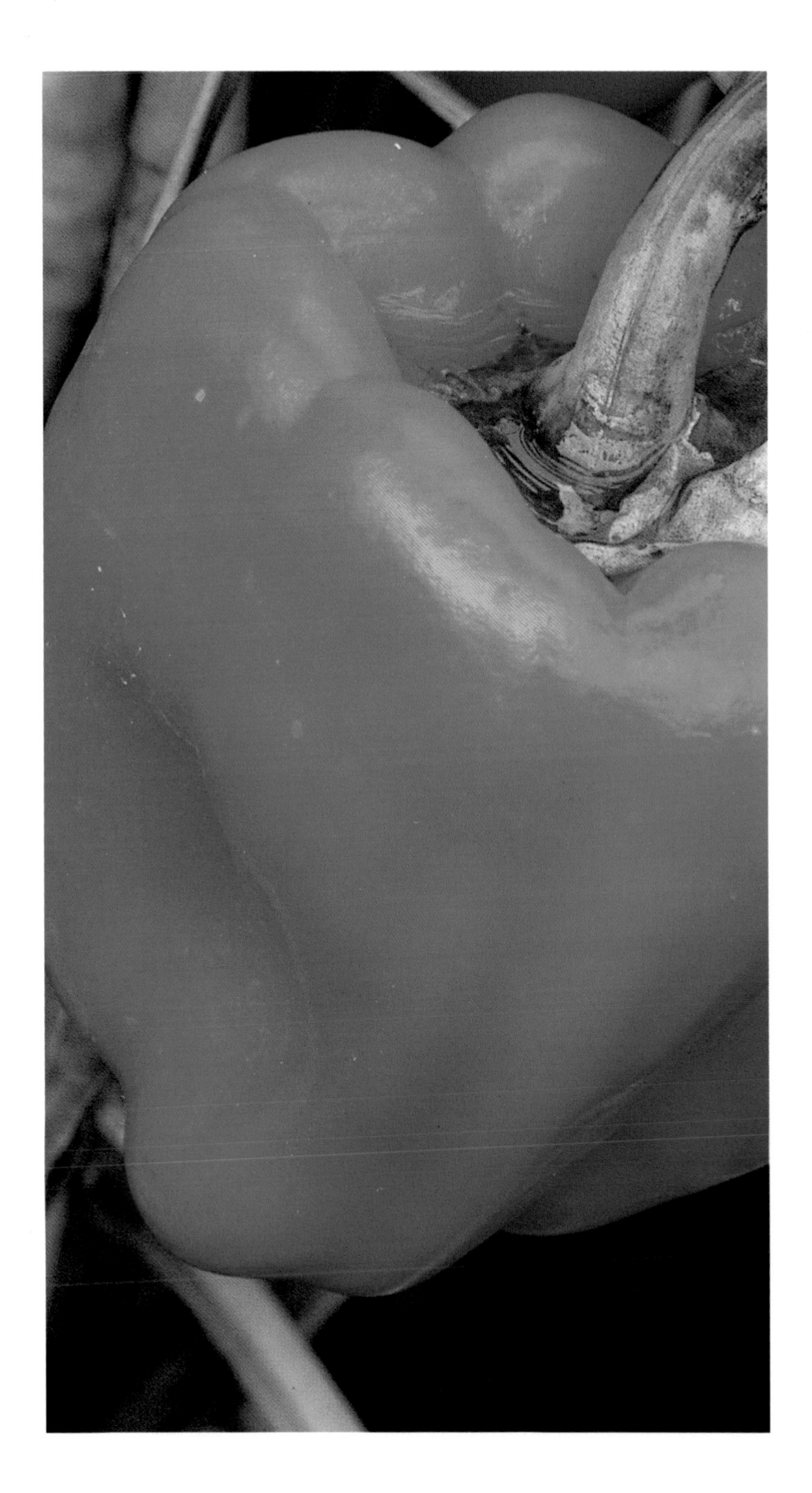

La terre du potager est de grande qualité. L'évolution de ses paramètres physico-chimiques est suivie avec attention par Patrick Chaudoy, le chef jardinier.

Page de gauche : une allée couverte d'une treille entoure le potager en le surplombant. Le dispositif permet au promeneur d'observer le jardin tout en étant à l'abri du soleil chaud de l'été.

Page de droite :
une robuste église romane
veille sur les jardins
de Villandry rappelant
constamment au
promeneur la présence
de Dieu.

Au centre de chaque carré,
une fontaine permettait
l'irrigation du potager.
Aujourd'hui, un système
d'arrosage automatique
est installé sur les
cinq hectares de jardin.

Des massifs de fleurs viennent égayer les carrés du potager. Ici : bégonias et cynéraire maritime, tabac rouge et agératum.

Une composante importante du potager : le gravillon de Loire (la mignonette), qui couvre les allées et dont le ratissage renforce la rigueur géométrique des jardins.

Les tonnelles couvertes de roses et de chèvrefeuille ainsi que les fontaines font partie de l'influence italienne qui est venue égayer le potager monacal du Moyen Âge (également page suivante).

Quelques-uns des légumes d'été : le potiron, le chou décoratif et les tomates rouges.

La culture de printemps est composée principalement de salades, dont le port régulier permet des alignements d'une grande rigueur.

Sous la neige,
le dessin des jardins
apparaît dans
toute sa pureté.

Pages suivantes :
Le lever du soleil sur
les trois principaux
bâtiments de Villandry :
l'église, le château et
les communs.

Les marches qui
nous mènent du potager
aux jardins d'ornement.

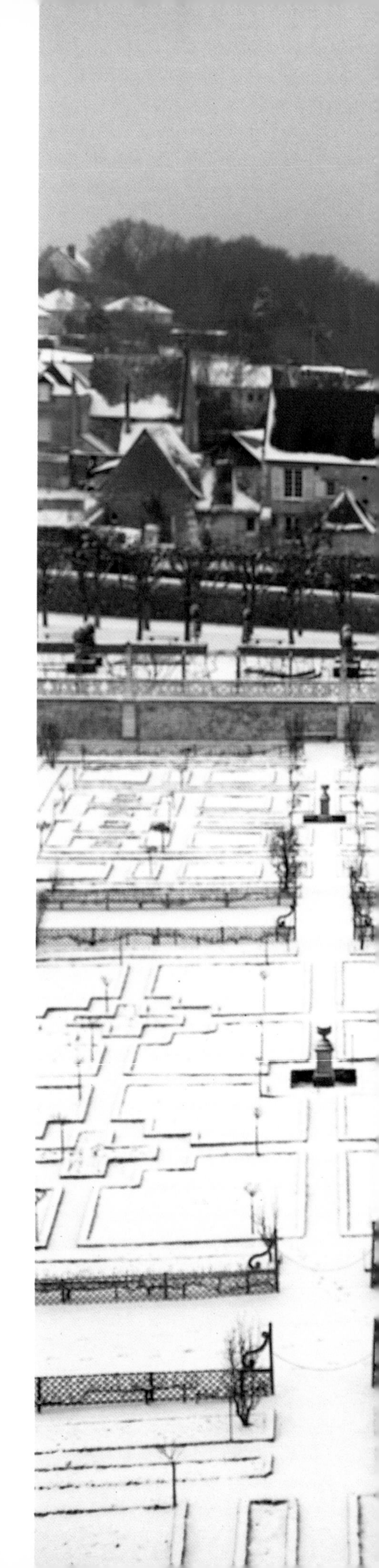

Les jardins d'ornement

Les jardins d'ornement

•

Ce sont les jardins qui constituent les salons extérieurs du château. Ils sont situés sur la seconde terrasse, au-dessus du potager et de plain-pied avec les salons intérieurs du château. Ils sont formés par des massifs de hauts buis, soulignés par des ifs et plantés de fleurs. Ces jardins ont été dessinés par un artiste sévillan, Lozano, ami de Joachim Carvallo, qui s'est inspiré de l'art hispano-mauresque des jardins. Ils sont composés de deux parties. Dans la première, au sud du château, une évocation symbolique de l'amour est présentée en quatre carrés : l'amour tendre, l'amour passionné, l'amour adultère, l'amour tragique.
Les croix de Malte, du Languedoc et du pays Basque, viennent compléter ce premier jardin. Dans une seconde partie, à l'ouest des douves, est situé le jardin de musique.

Le premier salon, vu des fenêtres, du château.

Au mois d'avril, les tulipes du jardin d'ornement sont en fleur et viennent ponctuer le tapis coloré formé par les myosotis.

Un détail du
jardin d'Amour.
Au milieu des cœurs,
des masques évoquant
les bals masqués.

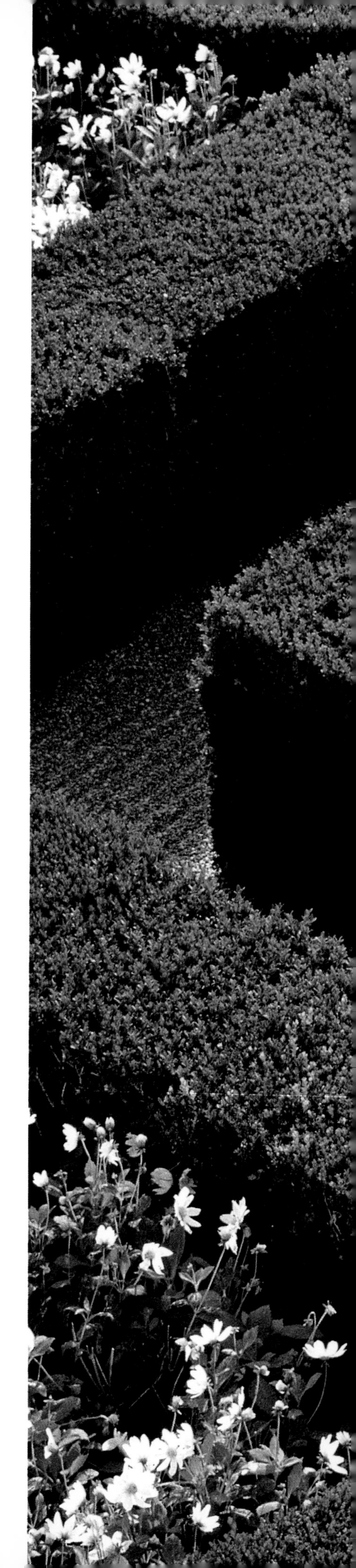

Dans le prolongement des carrés d'Amour, se trouve le jardin des croix. Ici, la croix du pays Basque.

Page de gauche :
myosotis et tulipes
viennent colorer les cœurs
du jardin d'Amour

L'une des fontaines
monumentales
qui subsistent du jardin
du XVIIIe siècle.

En arrière-plan, on reconnaît la croix de Malte.

À droite :
le second salon constitue
la deuxième partie
des jardins d'ornement.
Les motifs symboliques
y évoquent la musique.

En été, une culture
de dahlias vient remplacer
les tulipes et les myosotis.

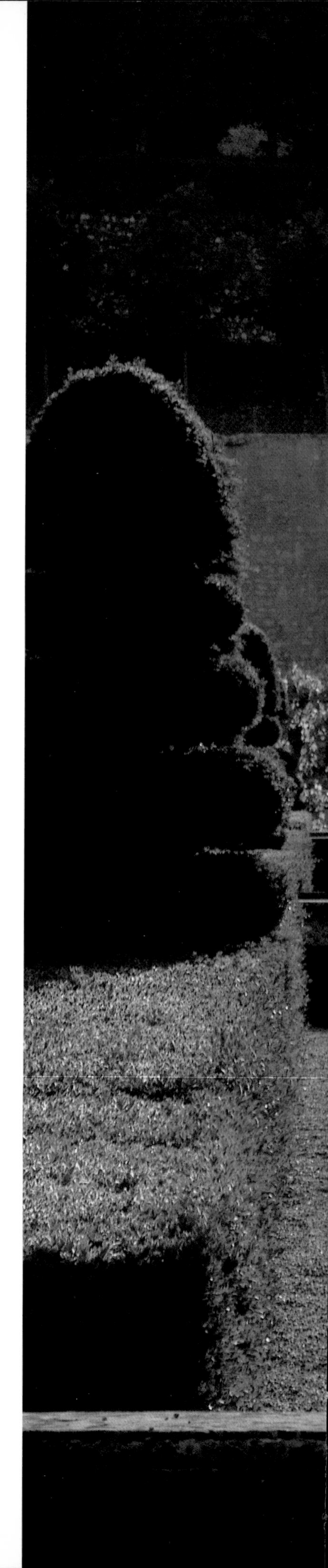

*En septembre,
les asters du second salon.*

*Page de droite :
les carrés du jardin
d'Amour en été ;
quatre variétés de
dahlias sont utilisées.*

Le second salon, vu de la colline qui surplombe les jardins. Une coloration subtile apportée par une culture de plantes vivaces : lavande et santoline.

Les jardins d'ornement sont dominés par une série de terrasses qui permettent de les surplomber et d'en bien comprendre la géométrie.

L'une des fontaines du second salon.

Page de gauche :
l'amour volage
en hiver, à l'été et au
printemps.
En bas, à droite,
l'amour passionné

Les fontaines du jardin
d'Amour sont similaires
à celles des jardins
mauresques de Grenade.

Le jardin d'eau

Le jardin d'eau

•

Au niveau le plus haut, est situé un vaste bassin en forme de miroir d'eau Louis XV. Il constitue le centre d'un jardin classique, à la française, entouré d'un amphithéâtre de verdure et dont les lignes pures et sobres sont propices au calme et à la méditation.

Ce bassin, en plus de sa fonction ornementale, joue un rôle fonctionnel capital, car ce sont ses eaux qui viennent alimenter le système d'irrigation des jardins ainsi que l'ensemble des fontaines.

La pièce d'eau en forme de miroir Louis XV.

Plusieurs générations de cygnes se sont succédé sur les eaux calmes du grand bassin.

*Des buis taillés
en boule dans des bacs carrés
constituent les éléments
de volume du jardin d'eau.*

*Les fontaines jouent un rôle
important à Villandry,
tant par la musicalité
du bruit de l'eau sur
la pierre que par la fraîcheur
qu'elles apportent.*

Par une succession de cascades, les eaux de la pièce d'eau viennent se déverser dans les douves du château.

Détail
des cascades d'eau
du canal nord-sud.

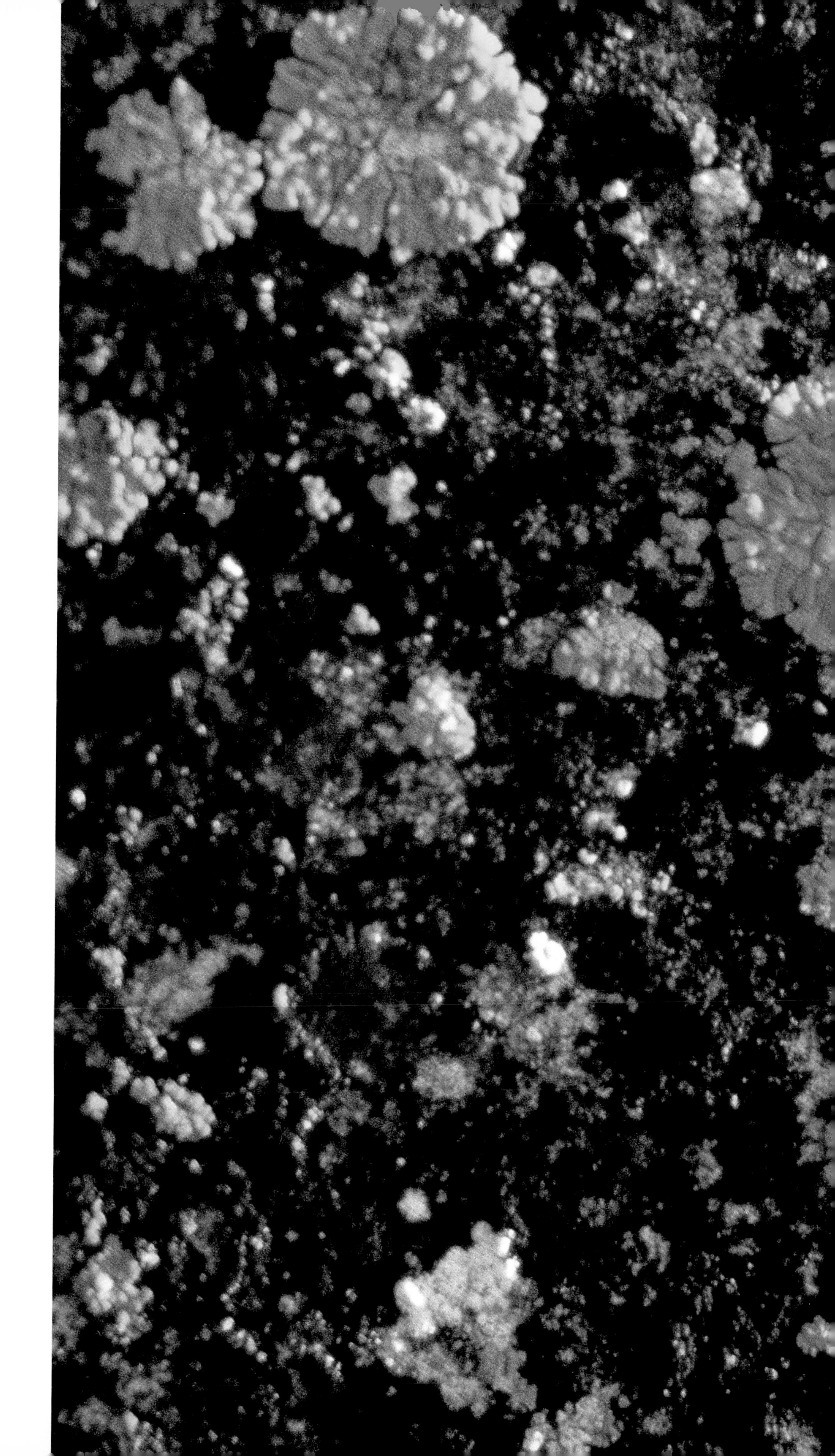

L'un des axes principaux du jardin est constitué par ce canal nord-sud.

Les quatre
saisons
du jardinier

Les quatre saisons du jardinier

En raison de la grande diversité des jardins et de la différence de nature des travaux selon la saison, un grand nombre de techniques horticoles sont mises en œuvre à Villandry. Une forte polyvalence est donc demandée à l'équipe de jardiniers.

Les étapes principales des travaux de jardinage au cours de l'année sont les suivantes :

- Au printemps : en mars, la plantation de la culture de printemps du potager. En juin, l'arrachage de la culture de printemps et le remplacement immédiat par la culture d'été. La mise en place des dahlias du jardin d'ornement. La première taille des buis et des ifs.

- En été : l'entretien (désherbage), la taille des charmilles, les semis en serre des bisannuelles.

- À l'automne : la plantation des tulipes et des myosotis, l'arrachage des légumes et des fleurs d'été, l'entretien des bois, la deuxième taille des buis et des ifs.

- En hiver : la taille des tilleuls, des arbres fruitiers et de la vigne. Les semis en serre des fleurs d'été. Le remplacement progressif de la structure végétale (ifs, tilleuls, buis).

À la mi-mars, les légumes de la culture de printemps sont mis en place dans le potager en une semaine.

Page de gauche : le binage des salades en avril.

Page de droite, en haut : les salades, un mois après leur mise en place.

Au centre : au printemps, la tonte des pelouses doit être effectuée deux à trois fois par semaine.

En bas : l'équipe des jardiniers.

Pour que les gazons qui entourent la pièce d'eau soient irréprochables, il est nécessaire de les refaire régulièrement. Cette opération s'effectue au début du printemps.

Le jardin est entièrement couvert par un système d'arrosage automatique, utilisé chaque jour en été.

La taille des ifs s'effectue au mois de juillet.

En été,
l'utilisation d'un rotofil
est nécessaire
pour nettoyer
les pieds des arbres.

Les allées du potager
doivent être désherbées
avec une binette
car les traitements sont
impossibles en raison
de la fragilité des buis.

Au mois d'octobre, les fleurs bisannuelles sont mises en place dans le jardin d'ornement. Ici, des myosotis.

À partir d'octobre, les légumes du potager sont progressivement arrachés.

Page de droite : les blettes blanches et les choux d'ornement restent en place jusqu'aux premières gelées.

En novembre,
les feuilles des tilleuls
sont ramassées
chaque jour.

Un souffleur est utilisé pour rassembler les feuilles mortes.

Page de droite : Robert Carvallo, petit-fils de Joachim, et sa femme Marguerite d'Estienne d'Orves, en train de réaliser le plan de culture du potager. Ce travail s'effectue en automne. Robert et Marguerite Carvallo ont permis, par leur travail acharné d'un quart de siècle (entre 1972 et 1997), de remettre Villandry sur le chemin vertueux du succès touristique et de réaliser un programme considérable de gros travaux de restauration.

La taille des 1260 tilleuls dure deux mois et mobilise quatre jardiniers. L'utilisation d'une plate-forme élévatrice et de sécateurs pneumatiques facilite et accélère la tâche.

*En février,
la taille des pommiers
du potager en cordeau.*

Achevé d'imprimer sur les presses de Artes Graficas Toledo, Espagne, en janvier 1999
D.L.TO: 76-1999